JN411704

prologue

'사랑'이라는 단어를 문장에 담는 것이 솔직히 버겁다는 말을 한 적이 있습니다. 그만큼 수많은 감정들의 복합체이면서 그 안에 희비가 함께 포함되어 있는 사랑이라는 말. 아마 세상 모든 사람들이 이 말에 대해 알고 있으리라 믿어 의심치 않아요. 바로 이것이, 여전히 내가 그 감정에 대해 끊임없이 이야기하고 있는 이유입니다.

여전히 모든 사람들의 설렘을 응원하고, 아픔을 위로하고 싶습니다. 수없는 감사함에 대해 달리 보답할 방법이 없어 그 대신 사랑 주고 사랑받는 모든 순간의 찬란함을 이 곳에 남겨드립니다. 슬픔도 어느 순간 아름다워 보일 수 있는 날이 오도록, 오늘도 이 새벽을 조용히 함께 걸을까요? 우리.

나에게 넌

너에게 난

당신의
악몽이겠지

이렇게 악몽을 꾸고 일어난 날에는 너한테 전화를 걸어야 하는데. 자다 깬 목소리로도 한 번에 내 전화를 받아준 네가, 내가 굳이 말을 꺼내지 않아도 그냥 괜찮냐고 물어주면 정말 다 괜찮아질 것만 같은데. 식은땀 범벅이 되어서 일어나고도 딱히 전화할 곳이 없어서, 다시 잠들지도 못하고 그저 너만 보고 싶은 아침.

보고
싶은
날엔

솔직히 지금 너무 힘들어서, 나 좀 어떻게 해달라고 투정이라도 부리고 싶어. 무작정 전화해서 보고 싶다고, 왜 안 오냐고 엉엉 울어버리고 싶어. 한숨 쉬며 나를 끌어안은 네 품 안에서 오늘이 마지막인 듯 잠들고 싶어. 네 온기도, 향기도 여전히 전부 내 것이었으면 좋겠어. 그냥 술김에라도 딱 한 번만 다시 연락하고 싶어. 진짜 나도 이게 뭐하는 건지 모르겠어. 미안해.

입장 정리

너에게 머물던 마음을 접으려면 네게 바라는 것이라도 조금 줄어들어야 하는데, 나는 여전히 네게 바라는 것이 너무나도 많다.
기대가 크면 딱 그 기대만큼 더 아파지는 법이라고 했는데, 그걸 알고 있으면서도 쉽게 마음이 놓아지지를 않는 것이다.
네 주변에서 맴돌고 싶지는 않았다. 나는 너의 중심이 되고 싶었다. 바람처럼 그저 스치고 지나가는 존재가 되고 싶지는 않았다.

굳이 바람일 것이라면
태풍같이 큰 것이라도 되고 싶었다.

매일같이 흔들리는 나만큼이나 너 역시 나 때문에 흔들리기를 바랐다. 너는 내게 그 무엇도 바라지 말라는 말로 내 마음을 일축시킨다. 차라리 사랑하지 말라고 하지. 내게 무엇도 해주고 싶지가 않다고 하지. 아니, 그냥 사랑하지 않는다고 하지.

그런 표정으로 애써 네 마음이
내 마음과 같은 것이라 착각하지 말고.

사랑한다는
말의 대답은
언제나

나를 사랑하냐고 묻는 게 그렇게 잘못됐어? 넌 항상 내가 물으면 사랑한다는 대답 대신 왜 너를 믿지 못하냐고 묻잖아. 난 그냥 듣고 싶었던 거야. 작은 불안이라도 마음속에 남기면 언젠가 그 심지에 불이 붙어버리니까. 그러기 전에 네 대답 하나로 모든 걸 다 잊고 싶었던 거야. 거짓말이라도 해줄 수 없었어? 그래, 빈말이라도. 처음에는 잘했었잖아. 그렇게 시도 때도 없이 사랑한다, 사랑한다 하면서. 그렇게 넘쳐났던 마음이 지금은 어디에 숨었니. 내가 못난 거니, 네가 잔인한 거니. 널 탓하지 못하는 나는 결국 내가 못났다고 결론지어 버리겠지만. 오늘따라 많이 밉다, 너.

다음 생엔
사랑뿐이기를

다음엔 정말 내가 아니면 안 되는 사람을 사랑해야지. 이 세상에 내가 없으면 공기의 온도도, 저 하늘의 색감도 알 수 없다고 말해주는 사람을 사랑해야지. 다른 사람과 나를 대하는 눈빛부터 차이 나는 사람을 사랑해야지. 10번 불안하더라도 11번 믿어줄 수 있는 사람을 사랑해야지. 무슨 일이 있어도 헤어지자는 말이 입 밖으로 나오지 않는 사람을 사랑해야지. 그렇게 또 한 번 영원에 속아봐야지. 무엇도 눈치 보지 않고 어떤 것도 숨기지 말아야지. 내 우울을 함께하는 사람, 그 우울 속에서도 길을 잃지 않는 사람과 슬픈 행복을 함께해야지. 이번엔 절대 그 사람을 잃지 말아야지.

나를 외롭게 하는 너에게

있잖아. 이런 얘기 꺼내기까지 내가 얼마나 수없는 고민을 했는지 너 잘 모를 거야. 괜히 신경 쓰게 만드는 것 같고, 내 속이 좁은 것 같고. 근데 '이해해야지.' 하고 수백 번 다짐해도 잘 안 되는 것 같네. 너한테 난 몇 번째야? 바쁘다는 거 알아. 그 시간 속에서 나를 신경 써주는 것 자체가 네게 힘든 일이라는 것도 알아. 그래서 나도 다 참았어. 아무 말도 하지 않고. 나도 사람인데 왜 외롭지 않았겠니. 남들 다 하는 데이트, 나라고 왜 하고 싶지 않았겠니. 다음번엔 평범한 사람을 만나고 싶다. 이번엔 이렇게나 바쁜 사람을 만났으니까. '이젠 진짜 평범한 연애를 하자. 이제 이 관계는 접자.' 하다가도 내가 널 사랑한다는 이유 하나로 몇 번을 붙잡혔는지 너는 잘 모

EN LLOGUER

를 거야. 그래도 이 문제로 네가 화를 내면 난 너한테 말하겠지. 내가 미안해. 우린 그렇게 하루를 또 이어갈 거야. 이게 맞는 거라고 생각해?

1·DCC·584

도망갈래요?

달 사진을 찍어 보내주는 사람이 있어. 아마 나를 사랑하는 것 같아. 먼 길을 달려 내게 오고 싶다는 사람이 있어. 아마 나를 사랑하는 것 같아. 내가 연락만 하면 종일 기다리기라도 한 사람처럼 바로 답장이 오는 사람이 있어. 아마 나를 사랑하는 것 같아. 내가 통화를 하고 싶다고 하면 밤을 새워서라도 내 이야기를 들어줄 거고, 내가 혼자 지새우던 새벽에 무작정 보고 싶다고 말하면 우리 집 앞까지 뛰어와줄 거야. 나 역시 그 애의 절실함을 사랑하고 있어. 아직 내게는 받아줄 준비가 되어 있지 않아서 이 모든 걸 놓칠까 두려운 마음뿐이지만 말야. 그래, 돌려 말할 것도 없이 너도 알겠지. 네가 나를 참 많이 사랑한다는 거. 언제까지 네가 버텨줄지는 잘

모르겠어. 네가 떠나면 난 많이 슬플 거야. 아니, 그냥 전부 다 놓아버릴 수도 있어. 솔직히 말할까? 나는 어떻게든 너를 잃고 싶지 않아. 그럴 수 있는 방법이 있다면 뭐든지 할 거야. 그래서 말인데, 진심으로 미안해. 나는 못하겠어. 아직까지는 사랑이 너무 무서워. 그 별것도 아닌 이별 같은 말로 너를 잃을 수는 없어. 내 인생에서 네가 없는 순간을 상상하고 싶지 않아. 그러니까 먼 길 돌아 우리가 아직 서로의 곁에 있다면, 그때는 평생을 함께 걷자. 네 생각처럼 나 역시 내 마지막은 너였으면 좋겠어. 일생에 너보다 다정하고 좋은 사람은 없을 테니까. 그러니까 꼭 오래 보자, 우리. 지금껏 가장 하고 싶은 말이었어.

PUBLIC BUS
SERVICES
COACH & LIMOUSINE PARKING ONLY
SCALE OF CHARGES
UP TO 1 HOUR
1 TO 2 HOURS
2 TO 3 HOURS
3 TO 24 HOURS
NOTICE

할 말은 많지만

연락을 해야 할지 말아야 할지 꽤 오랜 시간을 고민했어. 내가 네게 그다지 좋은 사람이 아니었다는 건 알아. 사랑의 방식이 달랐다고 해서 모든 것을 이해받을 수는 없겠지. 한때 네게 그렇게나 이해받고 싶어 애쓰던 시절이 있었는데, 이제는 너와 말 한마디 섞는 것이 더 간절해진 것 같네. 잘 지내고 있다는 거 알아. 그래서 잘 지내냐는 말을 보낼 수가 없었고, 나를 보고 싶어 하지 않는다는 걸 알아서 보고 싶다고 말할 수도 없었어. 그래서 결국 난 이렇게 보내. 나는 잘 못 지내. 나는 네가 보고 싶어. 내가 이렇다는 걸 알아줘. 네가 그렇지 않더라도 내가 이런 마음이라는 거, 그것만 알아줘.

최악의
이별

원래 다른 어떤 것보다 최고였던 연애가 헤어지고 나서는 최악일 수밖에 없는 거야. 너무 사랑해서 이 사람이 내 옆에 없는 것부터 인정할 수가 없거든. 힘들어서 죽겠고, 보고 싶어 죽겠고, 사랑한다고 말 못하는 것도 죽겠거든. 그냥 다 미치겠는데 당연히 최악일 수밖에. 그렇게 너는 내게 최고이자 최악이 되는 거야. 그러니까 이해해. 내가 네게 이럴 수밖에 없다는 걸.

절실함
그 사이

보고 싶은 마음이 들면 만나면 되는 거고, 목소리가 듣고 싶으면 들으면 되는 건데, 그게 그렇게 쉽지 않은 우리는 같은 생각만 계속 곱씹다가 결국 잠이 들겠지요. 아침에 일어나면 다시 별 생각 없다가도 또다시 밤이 찾아오면 당신도 함께 찾아올 수도 있겠지요. 침대 옆자리에 당신의 자리를 비워두고는 애틋한 그 온기를 품에 안고 애써 잠을 청할 수도 있겠지만 글쎄요, 이게 여전히 사랑인지는 나도 잘 모르겠군요. 외로움과 절실함은 어떻게든 구분을 두어야 하는 거니까요.

그대네요

우연이라고 했다. 그렇게나 보고 싶던 얼굴을 이제야 겨우 한 번 마주쳤는데, 인사조차 하지 못하고 너를 애써 모른 척하는 내게 너는 "이런 데서 우연히 다 만나네."라며 웃으며 인사를 건넸다. 나도 널 따라 아무렇지 않은 척 "그러게." 하고 넘어갔지만 내가 그 우연한 순간 하나를 잡고 싶어서 얼마나 오랜 시간 그곳에서 너를 기다렸는지 너는 모를 것이다. 너와 관련된 그 어떤 순간도 내게 그런 가벼운 것으로 치부될 만한 시간은 없었다. 네게는 별것 아니겠지만, 너는 끝내 모르겠지만.

잘 지내볼게

네가 안부를 물어줬으면 좋겠다고 생각했어. 너 때문에 웃음을 잃고도 네 곁에 남겠다고 선택한 건 결국 나였거든. 끝내 내가 너를 떠나왔다고 해서 그 시절을 부정하고 싶지는 않아. 나, 너 사랑했어. 그땐 정말 이 세상에 너 하나밖에 남지 않는다고 해도 아무런 문제가 되지 않을 것 같았거든. 그래도 있지, 나 지금은 잘 지내. 많이 웃고, 사람들이 예쁘다는 말도 많이 해줘. 늘 예쁨 받고 싶어 하던 나였는데. 그래, 너 그때 나한테 너무했다는 거 이젠 알겠지? 이제 와 말한다고 뭐가 달라지겠냐만, 그래도 고마워. 보고 싶어 해줘서. 우리 관계가 예전으로 돌아갈 수는 없겠지만 네가 이제라도 내 생각을 해주어 조금은 기쁘네. 나 좀 바보 같니? 잘 지내, 너도.

누군가에게
축복일 테니

한 새벽을 전부 채우는 이가 있다는 것이 일생의 축복 같던 시기가 있었는데, 그 축복은 지나고 나면 꼭 나를 아프게 만들었다. 흘러가는 시간의 끝을 애처로이 붙잡고 마치 네가 나를 영원히 지나치는 일을 두려워하는 것처럼 뜬눈으로 지새우는, 이젠 너의 것인지 나의 것인지 확실히 단언할 수 없을 이 시간. 당연하다는 말을 싫어하는 내가 어쩔 수 없이 그 말을 꺼내 놓을 만큼, 정말이지 그 말 외에는 설명할 수 없을 만큼 오랜 시간을 나는 결국 너로 채울 텐데. 그게 네 온기가 그리워서인지 너를 사랑해서인지 이젠 잘 모르겠다. 나는 늘 앓아야 할 무언가가 필요한가 보다. 춥다, 감기 걸릴 것 같다. 한 번만 안아주라.

나 역시

내가 그랬잖아. 희망고문 같은 건 하는 게 아니라고. 너를 사랑하지 않았던 게 아냐. 그건 너도 충분히 알 거야. 하지만 매번 반복되는 그 끈을 끊어내는 일을 너와 나 두 사람 중에 한 사람은 꼭 해야만 했어. 내가 그 상황에서 악역을 맡았던 걸 지금도 후회하지 않아. 여전히 너를 좋아해. 진행형이 아니라 과거형으로 하는 말이야. 나는 그 시절 내가 좋아했던 네가 좋고, 지금은 네가 아닌 내 추억을 좋아해. 네가 이제라도 내 마음을 알아주어 고맙다. 우리 인연이라면 나중에라도 꼭 한 번 마주치자. 반갑게 인사하지는 못하더라도 슬며시 웃어는 보일게. 그렇게 날 스쳐 가. 내 추억아.

돌아가서는
안 되는

더 이상 네가 신경 쓰이지 않았으면 좋겠어. 네가 어떤 기분으로 내게 어떤 말을 건네도 마음에 동요가 생기지 않았으면 좋겠어. 네가 힘들어도 마음이 아프지 않았으면 좋겠어. 내게 아무 대답을 하지 않아도 그게 궁금하지 않았으면 좋겠어. 네 안부가 묻고 싶지 않았으면 좋겠어. 쓸데없이 오늘 날씨 같은 거나 알려주고 싶고 그러지 않았으면 좋겠어. 네가 내 상처를 생각하지 않았으면 좋겠어. 그래 봐야 내가 나아지는 건 아닐 테니까. 내 우울의 8할이 네가 아니었으면 좋겠어. 네 기분 때문에 내 기분이 오르내리지 않았으면 좋겠어. 너를 사랑하는 일을 내가 그만뒀으면 좋겠어. 마치 태어나고부터 너를 사랑하지 않은 날이 없는 사람처럼, 그렇게 너를

운명 따위의 족쇄로 묶어두지 않았으면 좋겠어. 네 이름을 기억 못했으면 좋겠어. 더 이상 그 단어 하나에 심장이 내려앉지 않았으면 좋겠어. 차라리 내가 다른 사람을 사랑해버렸으면 좋겠어. 그 사람 손을 잡은 채 너와 마주치고 싶어. 몹쓸 짓이라는 거 알면서도, 네가 다 지나가고 나면 아마 주저앉아 울어버릴 것 같아. 네가 내게 아무것도 아니었으면 좋겠어. 여전히 네가 있어 내가 숨쉬는 게 아니었으면 좋겠어. 그냥 모르겠어. 네가 돌아왔으면 좋겠어.

사랑하지 않아

그러지 않기로 했는데, 난 아마 약속 같은 건 지킬 줄 모르는 사람인지 밀려오는 상실감에 몇 번이고 속을 게워내길 반복하고, 네가 나를 사랑하지 않는다는 현실을 끝내 받아들이지 못해서 아파하는 중이야. 네가 남기고 간 부적 같은 것을 이제야 봤어. 아마 내 악몽이 저만치 물러갔던 건 이만큼의 네 진심 때문이었을 텐데, 그게 어떻게 한순간에 무너져. 네 마음이 왜 사랑이 아니야. 그건 분명 사랑이 맞았는데, 세상 그 어떤 존재보다 나를 위했던 너였는데. 네 감정을 부정하지 마. 여러 순간 내가 미웠을 수는 있어. 그래서 온갖 나쁜 생각에 나를 놓아버리고 싶었을 수도 있어. 그래도 어떻게 이게 사랑이 아니야. 대체 사랑하면서 왜 헤어지는 거야, 우린.

괜찮을까

나도 그러지 않으려고 노력했어. 내 노력의 결과가 이것밖에 되지 않았다는 건 정말 미안하게 생각해. 그래도 생각해봐. 나라고 이러고 싶었겠어. 늘 "네가 나의 운명이다, 낭만이다." 말했던 내가 "사실은 그게 내 착각이었어." 하고 말하고 싶었겠냐고. 미안하다는 말로 네 마음을 전부 안아줄 수 없다는 건 알아. 그런데 달리 할 말이 없네. 그렇다고 아무런 말도 하지 않고 있을 수는 없잖아. 그건 또 그 나름대로 마음 아파할 너인 걸 아니까. 그래서 미안한 거야. 난 아무것도 모르니까. 이 복잡한 감정에 대해서도 설명할 자신이 없으니까. 내가 어쩌면 좋을까, 우린 어쩌면 좋을까.

나는
답하지 못했다

네가 이런 말을 뱉을 때까지 너를 그냥 두고 본 내 잘못이 크겠지만, 막상 듣고 보니 그렇게 기분이 좋지는 않네. 마음을 의심받아 좋을 사람은 없을 테니까. 나는 항상 이런 사람이었어. 나는 네가 그것에 익숙해져서, 내가 하는 행동에 더 이상 감사함을 느끼고 있지 못해서 이런 상황이 생겼다고 생각해. 왜 조금 더 보여주지 못했냐며 내 사랑이 식었다고 말한다 해도 할 말은 없어. 난 여전히 너를 위해 하는 사소한 행동 하나하나 그대로 지키고 있었으니까. 잘 생각해봐. 수많은 시간 네 옆에 머무르는 나를 당연하게 생각하지는 않았는지. 여전히 널 사랑해. 아무것도 느낄 수 없다면 조금 더 노력할게. 그렇지만 너도 노력해줄 수 있니.

나인지도
모를 테고

아무 의미 없는 말이라도 좋아. 그냥 무슨 말이라도 하고 싶어. 숨소리만 들려줘도 괜찮아. 네 소식이 듣고 싶어. 요새는 어떤 생각들을 하는지. 기분은 좀 어떤지. 밥은 잘 챙겨 먹고 다니는지. 감기 기운 있던 건 이제 많이 괜찮아졌을지. 하던 일은 잘하고 있는지. 힘든 일은 없는지. 나한테 하고 싶은 말은 없는지. 그래도 가끔 내 생각은 하는지. 당연한 것처럼 일상을 공유했던 매 순간들이 그립고 또 그리워. 이제 네 얼굴은 기억이 나지 않을 만큼 흐릿한데 왜 감정은 그대로일까. 왜 나는 아직 네 이름 앞에 서면 마음부터 무너질까. 어째서 괜찮아질 수가 없을까. 진짜 모르겠다. 그냥 연락하고 싶다.

망각 사이

말 그대로 추억은 추억일 뿐인가 봐. 우리가 그 과거 속에서 살아간다고 달라지는 게 있을까. 한 번에 잊히지 않는 존재라도 언젠가 무뎌질 텐데. 나 역시 세상에 망각할 수 없는 것이 존재한다고 생각해. 그게 내 인생에서는 한 부분쯤 너일 수 있다는 것도 부정하지 않을게. 그래도 난 노력해보려고 해. 네가 아닌 다른 사람이 나의 많은 부분을 채울 수 있도록. 이대로 너의 공간 안에서 살고 싶지는 않거든. 눈을 떠도 온통 너인 순간 속에서 더는 숨 쉬고 싶지 않거든. 아름다운 시절은 그대로 두고, 나는 떠날게. 미안해. 난 말야, 빛나지 않더라도 과거가 아닌 현재에 살고 싶어.

추억을
간직하며

오늘 슈퍼문이 뜨는 날이었지. 평소에는 달을 그렇게 좋아해서 매번 밤하늘만 보고 사는 나인데, 오늘만큼은 달을 찾을 수가 없었어. 그래서 그냥 일찍 자버렸어. 그러다 바보같이 지금 깨버린 거고. 아직 일어나야 할 시간까지 2시간 정도 남아 있어. 일정한 때까지의 시간이 정해져 있다는 것도 글쎄, 대체 모든 일을 어디서부터 어디까지 아프다고 표현을 해야 나아질지 잘 모르겠네. 그래, 말 그대로 나는 잘 모르겠다, 이게 무슨 감정인지, 대체 왜 이러는 건지. 이걸 딱히 사랑이라고 표현하고 싶지도 않은데. 아마 그냥 어리광 피우는 것 같아. 대체 왜 그러냐고, 왜 안 오냐고 그러면서. 떼쓰는 거지 뭐. 사실 우리 사이 별거 아냐. 함께한 시간도 짧았고, 그만큼

DOSTRECE
KITCHEN OPEN

빨리 잊혀질 거야. 어쩌면 이미 다 잊었는지도 모르고. 근데 또 뭐하자고 눈 뜨자마자 내 하루의 시작이 너인지. 왜 여전히 너를 곱씹는 일로 시작하는지. 그 밤의 나는 달을 같이 보고 싶었다는 말을 대체 왜 뱉어서, 결국 그 마음이 오늘까지 왔구나. 그래도 이제 정해놓은 모든 시나리오가 끝났다. 순간 너무 많은 사람들이 밀려오는 걸 보니 너와도 이제는 정말 안녕이구나. 앞으로는 미래의 너무 많은 것들을 약속하고 살지 말아야겠다. 결국 아파지는 건 또 나야.

존재하지 않는다

그 악역을 내가 맡을 수밖에 없었다는 걸 이해시키고 싶은 생각은 없어. 그래도 생각해봐. 모든 이별은 아픈 게 당연한 거잖아. 만약 이별이 달콤하다면 그건 오히려 너를 더 망가뜨릴 거야. "사랑해, 잘 자." 하고 우리가 다음 날부터 남이 된다고 생각해봐. 끝이 맺어지지 않은 결말은 결말일 수 없다는 거 이제 알겠지. "끝까지 나는 너를 사랑했다. 그러니 행복해라." 이런 말은 하지 않으려고 해. 내 마음이 진심이었다는 건 굳이 내가 말하지 않더라도 느낄 수 있을 거라 믿으니까. 네 탓은 하지 마. 한쪽만 문제가 되는 인연은 없어. 나 역시 모든 잘못이 내게 있다고 생각하고 있어. 그렇지만 그게 이제 와 무슨 소용이겠니. 잘 지내, 힘들어하지 말고.

각자의 몫

좋아합니다. 근데, 그냥 정말 좋아하기만 해요. 더 관계를 진전시키고 싶지도 않고 무언가 바라고 싶지도 않아요. 이렇게 말하면 그게 대체 무슨 소리냐고 하겠지만 이게 진심이에요. 나는 당신을 정말 많이 좋아해요. 보고 싶고, 같이 있고 싶고, 가끔은 손을 잡고 싶기도 해요. 그렇지만 그러지 않았어요. 내가 무언가를 하나 시작한다면, 당신이 딱 그 하나만큼 아파질 테니까. 아무래도 지금은 때가 아닌 것 같아요. 나는 생각보다 많이 망가져 있어요. 당신은 이런 나도 다 괜찮다고 하겠지만, 그래서 안 되는 거예요. 당신이 너무 착하고 괜찮은 사람이어서. 그러니까 나 같은 사람 말고 더 좋은 사람한테 사랑받아야죠. 좋아한다고 말고, 주저 없이 사랑한다고 해

주는 사람 만나야죠. 솔직히 나도 내가 괜찮아질 때까지 지금처럼 조금만 기다려달라고 말하고 싶어요. 그래도 이건 내 욕심이죠. 아프게 하고 싶지 않아요. 당신이 행복했으면 좋겠어요, 진심으로. 왜 이렇게 아플 때 당신을 만났을까요? 당신이라면 내가 괜찮아질 수 있을 거라 믿으세요?

해결되지 않을

어떤 말부터 꺼내야 할지 잘 모르겠다. 지금은 어떤 문장들을 늘어놓아도 네게 상처가 될 거라는 것을 아니까. 우리 참 타이밍이 맞지 않는 것 같다. 매번 내가 먼저 헤어지자는 말을 꺼내어 놓을 때 나 역시 그 말이 너와의 끝을 바라고 하는 말은 아니었어. 네게 확인받고 싶은 마음에 허튼짓을 한 내 잘못이라는 걸 알아. 그래서 이런 결말이 우리 앞에 다가왔다는 것도. 사랑하지만 헤어져야 하는 경우도 있다는 거 지금까진 믿지 않았는데, 아무래도 우린 그래야 할 운명인가 보다. 끝까지 마음으로나마 나를 위해주어서 고마워. 너를 만나고 사랑이 아니었던 날은 단 하루도 없었어. 변명 같겠지만 이 마음만 알아줘.

Leon Eri
Dance School

권태기가
필요했을지도

잘 지내니까 아무 걱정 말고 너도 잘 지내라고 말하고 싶은데 우습게도 조금도 괜찮지가 않아서 그런 말은 못하겠다. 남들 다 겪던 권태기 하나 없이 지나간 거, 그게 우리 잘못이었는지도 몰라. 사랑으로 극복할 수 있는 일이 있다면 그렇지 못한 것들도 있나 봐. 있지, 나 한 순간에 변했던 게 아니야. 정말 조금도 눈치 채지 못했다면 그건 네가 그만큼 내게 관심이 없었기 때문이 아닐까 싶다. 사랑했던 사람아, 원래 가득 차 있던 자리가 한순간에 비어버리는 건 괜찮아지기 어려운 일이래. 내가 네 곁에 있을 때 이렇게 말해주지 그랬니. 그럼 평생이고 네 곁에 머물렀을 텐데. 그날의 추억을 사랑하는 너를 두고 나는 돌아설게. 이제 기다림은 네 몫이야.

그렇게 믿어요

언제가 되어도 좋으니 꼭 한 번은 하루 종일 멀쩡했던 네 기분도 망쳐버릴 수 있는 사람이 되고 싶어. 알아, 내가 너무 못됐지. 미안해. 그냥 나 때문에 네 기분이 좌지우지되는 그런 거. 나도 한 번 느껴보고 싶었어. 내가 맨날 당하기만 하니까 상대방이 나 때문에 그러면 어떤 기분일까 싶었거든. 이왕이면 내가 태어나 가장 사랑했던 네가 그래주었으면 했어. 어차피 나를 미련 없이 지나쳐간 네가 돌아오지 않을 거라는 건 알아. 그러니까 욕심 부리는 거야. 너도 아무렇지 않은 건 아닐 거야. 어젯밤 꿈에 네가 나왔거든. 그건 아마 네가 허락해서일 거야. 다만 그렇게 믿고 싶어.

널 미워해

미워해도 괜찮아. 미워할 만한 일이라면 네가 그렇게 말하는 게 맞겠지. 그런데 말야. 나도 네게 서운한 게 많았어. 우리가 어느 순간 바뀌었다는 건 너도 알 거야. 내 행동에 익숙해진 네가 아무렇지 않게 하는 모든 일에 나 역시 상처 받았어. 이런 상황 역시 우리에게겐 사랑이겠거니 하고 애써 넘겼던 것뿐이야. 넌 항상 네 감정이 더 중요하고 네 입장이 더 중요해. 당연하다는 거 알아. 하지만 난 말야. 이기적으로 생각하다가도 네 입장 한 번 더 헤아리려고 노력했다는 것만 알아줘. 서운하게 해서 미안해. 우리 조금만 더 맞춰 나가자.

이제
날 잊어요

나도 잘 지내라는 말이 쉬웠던 건 아니야. 그래도 어쩌겠니. 그게 내가 할 수 있는 말의 전부였는데. 이제 와서 어긋나버린 우리를 다시 맞추어보자고 애쓰자니 네 마음이 이미 돌아선 것 같고, 예전처럼 한 발짝 더 다가서자니 나도 너무 지쳐버렸는 걸. 나도 잘 지낼 수 없을 거야. 나라고 이별이 편하겠니. '정리해야 할 타이밍이 있다면 그게 지금이구나.' 하고 느꼈던 것뿐이야. 너도 언젠가 이 선택이 옳았다고 생각할 때가 올 거라고 믿어. 나쁜 기억으로 남고 싶지 않아. 이쯤에서, 서로를 미워하지만은 않는 이 정도에서, 우리 그만하자.

원망은 안 해요

당신이 내게 마냥 좋은 기억으로 남을 수 있을 거라고 착각하지 마세요. 내가 당신을 굳이 미워하지는 않더라도, 딱히 좋아하지도 않을 거라는 것도 알아두세요. 사랑일 때 온 힘을 다해 사랑했더라도 어차피 끝난 건 다 끝난 거고요. 이제 와서 관계를 돌이킬 생각 같은 건 애초부터 없었지만 언제라도 마주치고 싶지 않으니 서로 조심하자는 말입니다. 사람은 원래 다 상대적인 거여서 누군가에게는 정말 좋았던 사람이 누군가한테는 아닐 수도 있는 거죠. 원망 같은 거 안 해요. 당신이 나한테는 후자일 수도 있는 거죠 뭐. 애써 좋게 기억하려던 추억들까지 전부 망쳐주셔서 정말 감사합니다. 이제는 화도 안 나는 걸 보니 당신이 나한테 아무것도 아닌가 봐요.

2

당신이란 은하수에 빠져
허우적대던 날들의 기록

초승달

언제 당신한테 이해를 바라던가요. 그냥 이대로 살 수 있게 가만히 지켜만 봐달라고 했지. 당신 마음에 손톱 한쪽도 들이지 못하고 맴돌기만 하는 마음을 대체 어떻게 이해한다고 그러세요. 그냥 그런 척하는 거지. 하나 부탁할 게 있는데, 하늘에 초승달이 뜨면 말이에요. 그 손톱만 한 작고 날카로운 달이 뜨면 그때는 내 생각 한번 해줄래요. 그 둥그렇고 커다란 마음 다 숨기고 "나는 이만큼만, 딱 이만큼만 당신을 사랑해요." 하는 바보 같은 사람이 하나 있었다고. 그래도 가끔은 빛나 보여서 눈 비비고 다시 한 번 쳐다봤었다고 말이에요. 당신 마음에 있는 듯 없는 듯 그렇게라도 숨어 있고 싶었던 나를 조금이나마 안쓰러워한다면요.

Adios

사랑받기 위한 모든 순간을 잃었고,
나는 오늘 이곳에서 내 인생의 모든 낭만을
마음 끝으로 지르밟았다.
잘 가라, 나의 모든 것.
끝내 이룰 수 없던 꿈과 금방 잡힐 것만 같던 미래와 함께
이 가슴에 날카롭게 박혀
평생을 앓게 만들었던 애틋함이여.
그 이름을 오래도록 정의할 수 없었으나,
나 이제 그것이 너의 조각임을 깨닫는다.
또다시 안녕. 안녕, 나의 모든 것.

내게만
특별한 사람

모두에게 친절한 사람이 싫다. 미움받기 싫어 언제나 여지를 남기는 사람. 정작 본인에게 중요한 사람이 얼마나 상처 받고 있는지는 인지하지 못하는 사람. 지나간 사람에 대한 예의를 운운하며 딱 잘라 거절하지 못하는 사람. 본인이 하는 모든 행동을 "그래도 안됐잖아."라며 합리화하는 사람. 그러고도 옆에 머무는 사람이 속 타 하는 걸 조금도 이해하지 못하는 사람. 아무리 나를 사랑해주었던 사람이라도 과거는 과거일 뿐, 매일 과거에 얽매여 있다면 그에게 남는 것은 현재를 과거로 만드는 능력밖에 없을 텐데. 당신이 충분히 행복할 수 있는 날들을 아프게만 만들고 있는 것이 안타까울 뿐.

온 마음을 다해

그게 아니라, 그냥 좋아해줘서 고맙다는 말을 하고 싶어서요. 어떤 표정을 짓고 있어도 내가 나일 수 있게 해주어서. 가끔 못된 말을 하더라도 내가 어떤 것들을 마음속으로 감추고 있는지, 끝내 말하지 못한 것들까지 짐작해주어서. 그렇게 좋아해주어서. 조심스럽게 좋아한다는 말밖에 꺼내놓지 못하는 내게 사랑한다며 손을 내밀어주어서. 그래서 고맙다고요. 오늘 밤은 왠지 꼭 말하고 싶었어요. 언제나 이곳에 가득하기만 할 당신에게. 잘 지내요, 우리.

눈에 띄지 않지만
소란한

미안, 뭐가 문제였는지 알았어. 나한테 사랑은 너무 별것 아니었던 거야. 남들은 뭐 거창한 거 잘만 바라던데, 나한테 사랑이라는 건 그냥 감정 그 자체에 불과했어. 내가 너를 바라볼 때, 네게 안겨 울 때, 네가 나와 눈을 맞출 때, 발끝이 저릿해질 만큼 절실하게 느끼는 그 감정 말야. 그런데 너한테 사랑은 그런 게 아니었던 거야. 넌 내가 어떤 사람이었으면 좋겠다고 늘 바랐잖아. '이럴 땐 이렇게 해줘, 저럴 땐 저렇게 해줘.' 하고 넌 늘 나를 네 방식대로 맞추려고 했지. 그래, 나도 처음엔 그게 맞다고 생각했어. 나 사랑받고 싶었어, 진심으로. 그렇게만 하면 네가 나를 사랑하게 된다는데 못할 이유 같은 건 조금도 없었어. 그래서 자꾸 날 잃었어. 내가 싫은

건 하나도 말 못하면서 네가 싫다고 하는 것만 뜯어고쳤어. 그러니까 내가 자꾸, 정말 자꾸만 작아지더라. 이젠 내가 원래 어떤 사람이었나 싶더라. 근데 이게 맞는 거야? 있지, 아무리 생각해도 사랑은 이런 게 아니야. 넌 나한테 사랑한다고 말하는데 너 그냥 아무 뜻 없이 뱉는 거잖아. 네가 사랑하는 건 내 껍데기야. 네가 만든 거. 네가 네 입맛대로 골라다가 하나씩 맞춰 놓은 인형 같은 거. 이제 와 이래서 미안해. 그래도 이건 내가 아니야. 아무리 내가 네 것이 되고 싶어 몸부림친다고 해도 더 이상은 못하겠어. 나도 내 있는 그대로를 사랑해줄 사람을 만나고 싶어. 그게 네가 될 수 없다는 건 나도 참 안타까워. 그래도 어쩌겠니, 네가 아니라는데. 늘 맞다고 내 자신을 속였던 나도 이젠 이게 아닌 걸 알겠다는데. 그러니까 잘 가. 언젠가 정말 사랑을 알게 되거든 그때 연락 한 통 해. 끝내 네 이상형이 되어주지 못해 미안해.

OFFICES TO LET

나라는 세계 속의 당신

자, 들어봐. 이제 당신이 이 세상에
살아 있다는 사실은 내 세계에서는 중요한 일이 아니야.
다만 이 안에 당신이 여전히 숨 쉬고 있다는 사실은
내 모든 것을 흔들기에 조금도 부족함이 없는 일이겠지.
당신은 어디에서 어떤 모습이어도 좋아.
뭐가 어떻든, 누가 뭐라고 말을 한다고 해도
이 안에 있는 당신은 늘 예쁘고 따사로운
그 모습 그대로일 테니까.
그게 당신이 아니었다고 애써 부정하지는 마.
그 시절의 당신을 내가 여전히 기억하고 있다는 사실이
당신을 힘들게 할까? 그렇다면 아프게 해서 미안해.

Les quinze nits

그래도 내 마음에 있는 이곳까지
당신 마음대로 할 생각은 말아.
당신은 아무렇지 않게 나를 떠났지만
내게 그게 어떤 의미를 가지는 것이었는지
당신은 꿈에도 모를 테니까.
그러니 그냥 그렇구나 해줘.
사랑해. 미안해, 그렇지만 사랑해.
이걸 어떻게 할 수 있겠어?
당신, 누군가를 이렇게까지 사랑해본 적 있어?
없잖아. 그러니까 모르는 거잖아.
그런 눈으로 바라보지 마. 달라지는 게 없잖아.
당신한테 바라는 거 없어. 그러니까 제발,
내가 이곳에 한껏 적셔진 채
이 안에서 숨 멎을 수 있도록 그냥 지켜봐줘.
달뜬 숨을 내뱉고 다시 새로운 숨결을 가지게 되거든
그때는 당신을 사랑하지 않을게.
정말이야, 걱정 마.
그러니 잘 가, 내 사랑. 나중에, 나중에 봐.

나만
알아두면 돼

나 왜 그렇게 많은 것들을 사랑했을까.

사실 전부 부질없다는 걸 알면서도.

결국 아무것도 아닌 게 되어버린다고 해도

그 시절 난 네가 사라지는 게 마냥 겁이 났던 것 같아.

어릴 적 놀이공원에서 길을 잃어버린 꼬마처럼,

내 눈앞에 보이는 세상엔 이렇게나 아름답고

재미있는 것들이 많은데도 그 많은 건

하나도 보이질 않고 난 내 손을 잡고 있다 사라진 너만 찾고

싶었던 거야.

어쩌면 난 그냥 울면서 네 이름을 부르고 싶었나 봐.

왜 날 여기 두고 간 거냐고.

T
O
C
K

그래, 그렇게 원망을 하고 싶었나 봐.

나 말야, 많은 것들을 사랑했지만 그중에 너만 한 건 없었어.

내 모든 것들 중에 너보다 대단했던 건 없거든.

그래서 다 사라질 걸 알고도 네가 포기가 안 됐어.

웃기지. 사랑이 뭐라고, 그게 뭐가 그렇게 대단하다고.

보고 싶어 하는 마음이 네게 닿을 거라는 생각은 안 해.

새벽의 힘을 빌려 네게 연락하고 싶은 마음도 없어.

다만 여전히 사랑해. 듣고 있지 않아도 괜찮아.

그래도 사랑해. 이 마음은 나만 알아두면 돼.

eurofincas
eurofincas
P

대단한
위로

위로받고 싶다. 그냥 그럴 수도 있는 거 아니냐면서.
살다 보면 어떤 일도 다 생길 수 있는데,
그냥 조금 더 빨리 겪은 거라 생각하라면서.
네 마음을 전부 이해할 수는 없겠지만
그래도 나는 언제나 네 편이라면서.
울고 싶으면 울라고,
그런 것까지 참아가면서 힘들어하지 말라면서.
"내 품이 좀 넓은데 안겨볼래?" 하는
우스갯소리까지 덧붙여가며.
나는 이렇게나 작고 유약한데,
나와 똑같이 그저 약하기만 한 사람이면서도

NO
TOCAR

내가 아파하면 본인이 아파하는

티를 내지 않으려 애써가면서.

그 모습이 눈물겹게 고마워서

또 한번 눈물 흘리게 하면서.

그렇게 한참을 울다가 '그래도 당신이 있으니

아직 살 만한 인생이구나.' 하고 깨닫게 하면서.

그렇게 소소하지만 대단한 위로가 받고 싶은 날.

P

널 사랑하지 않아

당신이 하나 잊고 있는 게 있는데

지금 당신 모습이 예전의 내 모습이었어요.

연락 한번 해달라고, 전화 한번 받아달라고 애쓰면서

상대방을 억지로 붙잡고 있다는 생각에 아파하고

매일같이 떠오르는 '포기해야 할까?'

하는 생각에 잠 못 이루는 거 말이에요.

당신 눈에는 나만 바뀌었는지 모르겠네요.

당신이 더 많이 바뀌었는데.

미안한데, 난 그때 내 마음을 다 써버렸어요.

너무 많아서 언제 다 전할까 싶었는데

한 번 흘러넘치니까 어느 샌가 없어져 있더라고요.

당신은 왜 이제야 내가 적셔 놓은 곳에 빠졌나요.

나 꽤 많은 시간을 울었는데,

그 시간 동안 한 번도 나를 달래지 않던 당신이

이제 와 내게 너무하다고 말하네요.

그래도 당신은 참 좋겠어요. 그런 표현이라도 할 수 있어서.

그렇게 아프고도 당신을 원망한 적이 단 한 번도

없었는데 지금은 좀 그런 것도 같네요.

늦었어요, 너무 늦었어. 돌아오지 마요, 당신.

우리 이제 서로 아프기만 할 거예요.

난 이제 그 아픔도 사랑이라고 생각할 자신이 없고.

Notting Hill Garage
Notting Hill Garage

변함없이,
당신을

처음엔 특별했던 것들도 시간이 지나면 단순해지기 마련이죠. 적응이 되면 그냥 원래 그랬던 거나 다름이 없어지니까. 당연한 게 아닌 거라 계속 마음을 다잡아도 쉽지 않을 거예요. 한 번 틀어박힌 마음이 돌아온다는 게 생각처럼 되는 일은 아니잖아요. 그래도 사랑해요. 늘 똑같은 일상에 늘 당신이 함께한다는 게 이제는 너무도 당연하고 평범한 일이 되어버렸다고 해도, 가끔 특별하고 익숙하지 않은 일을 찾고 싶어진다고 해도, 일상에 대한 감정은 변해도 당신에 대한 감정은 조금도 변하지 않았어요. 사랑해요, 늘.

별자리

어릴 때 그런 기억이 있어요. 밤마다 정말 별이 쏟아질 것같이 내리는 곳에서 잠깐 머물렀던 적이 있었는데, 깜깜해지면 가만히 누워서 별을 보고는 했거든요. 이게 어떤 별자리인지도 모르면서 손가락으로 하나하나 이어도 보고, '저 많은 것들 중 가장 빛나는 별이 북극성이구나.' 하면서 집에 들어가기 전까지 그 별만 가만히 보고 있었던 적도 있었어요. 근데 도시에서는 별이 잘 안 보이잖아요. 그래서 가끔 몇 개만 반짝여도 기분 좋게 그걸 바라보고 있고는 하는데, 그래도 정말 아쉬울 때는 차라리 눈을 감고 그때 그 쏟아질 것 같았던 별들을 상상하고는 해요. 그럼 지금 내 눈앞에 없는 것들도 충분히 나는 그 시간에서 가져올 수 있으니까. 이렇게 말하

면 우습겠지만 나한테 당신도 그래요. 나는 지금 어디에서도 당신을 찾을 수가 없죠. 사실 어떻게 살고 있는지도 잘 몰라요. 잠시 추억을 공유했다고 해서 내가 당신의 영원을 가져올 수 있는 건 아니니까요. 그래도 가만히 내 옆에 있는 당신을 그리면, 나는 내 마음속에 언제나 떠 있는 북극성이 당신임을 알아요. 그래요. 바라지 않을지도 모르겠지만 당신은 내 우주 속 변하지 않는 지표가 되어줄 거예요. 어느 상황에서도, 누구를 만나도 당신은 가장 빛날 테니까. 쉽지 않겠지만 당신의 자리를 대신할 누군가가 나타나거든 그때는 더 이상 별들을 상상하지 않을게요. 그냥 그 전까지만요. 내가 이 아름다운 것들을 더 이상 사랑하지 않을 때까지만요. 그때까지만 이렇게 나의 중심으로 살아줘요. 또 다른 누군가의 중심이 되어 있더라도, 당신이 어떤 별자리 속 가장 중요한 별이 되었더라도, 미련하게도 나는 아직 당신이니까.

CATS

이 말로 다할 수
없겠지만

너의 전부를 사랑하노라고 말할 수는 없더라도
나는 너의 부분 속에 오롯이 담겨 있노라고
우겨보고 싶은 밤.
이 밤이 지나도 나는 네가 될 수 없겠지만
네 품안에서 눈 뜨는 나의 하루가 다른 어떤 날들보다
행복할 수는 있겠지.

가끔은 마음을 뜯어 네게 보여주고 싶다.
여기에 이만큼이나 네가 있다고,
내가 이렇게나 너를 사랑하고 있다고.

이별의
꽃다발

이별한 친구에게 꽃다발을 선물했다.
다음엔 더 좋은 사람을 만나라고.
이렇게 너를 울리는 사람 말고,
온종일 네 생각밖에 없어서 길거리에서
꽃 한 송이만 봐도 건네주고 싶어 하는 사람을 만나라고.
낭만적이지 못한 이별의 날들 사이
잠시나마 네게 낭만을 선물했길.

TRADITIONAL TEA ROOMS
BLACKBIRD

그 순간 속의
너를

문득 내가 너를 사랑한다고 느꼈던
그 순간에 멈추어 선 채 평생을 살고 싶다.
내게 그 무엇도 아니었던 사람이,
내 전부가 될지도 모르겠다는 생각이,
머릿속을 스침과 동시에 내 전부가
당신으로 물들어버렸던 그 시간 속에.
내 인생 중 그날의 나보다
아름다울 수 있는 날이 있을까.
당신에게 사랑받고 있다는 사실에 눈멀고,
그 사랑에 숨 멎어 그대 품에서 눈 감고 싶었는데.
사랑이 인생의 전부라는 코웃음 칠 말 따위에

이제야 알았다며 미안하다고 무릎이라도 꿇고 싶었는데.

당신이 나의 영원이 아니더라도

그날에 매일 멈추어 살아도 좋을

이 마음을 어떻게 표현해야 할지 몰라 한참을 고민했지만,

내 부족한 문장들로나마 이 마음을 담아요.

나는 당신을, 나는 정말로 당신을

며칠 뒤면 어느새 찾아와 있을 따스한 봄날만큼이나

진심으로 사랑하고 있어요.

비가 오는 날엔

비가 오는 날엔 한 번만 더 사랑한다고 말해줘요.

나는 비 오는 게 싫거든요.

남들은 비 냄새가 좋다, 시원해서 좋다,

그러니 네가 그날을 싫어하는 이유보다

좋아할 이유를 더 생각해보라고,

그렇게 비가 올 때마다 우울해해서

남는 게 뭐냐고 하지만요.

그거 내 마음대로 되는 게 아니거든요.

날씨 따라 기분이 변하는 게 나라고 기분 좋겠어요.

그러니 딱 한 번만 더 사랑한다고 말해줘요.

그 말 한마디면 나는 좋은 날씨에 살 수 있게 되니까.

당신은 이 빗속에서 나를
구원할 수 있는 유일한 사람이잖아요.
그래요, 그렇게 내 앞에서 웃어줘요.
당신은 그래도 이런 날이 좋다면서,
내가 있어 당신은 어떤 날도 참 좋다면서.

Ard Bia
NIMMO'S
LUNCH MENU
DINNER MENU

사랑받기에
충분한 사람

가장 이상적일 거라 생각했던 연애가
가장 이상적이지 못하게 끝이 나버리기도 하고,
가장 이상적이지 못할 거라 생각해
기대조차 하지 않았던 연애가
어느새 나의 이상이 되어버릴 때도 있지.
사랑이라는 건 이렇게 쉽게 판단할 수 없는 거야.
그러니 네 멋대로 그 사람을 재단하려 하지 마.
그 사람, 누군가의 전부가 되기에 충분한 사람이니까.

나를 다그치는 당신에게

다 지나갈 테니 걱정 말고
조금만 버텨보라고 하는데
지나갈 거라는 보장은 어디에 있고,
그것이 정말 지나간다고 해도
내 마음에 깊게 그어진 줄 하나가
사라질 거라는 생각은 어디서 나오냐는 말입니다.

그래요. 다 겪은 일이겠죠.
당신도 나만큼이나 힘들었겠죠.
나도 그렇게나 강한 당신이 부러워요.
그렇다고 모든 걸 당신 입장에서만

그렇게 얘기를 하면, 어차피 내 인생은
당신이 대신 살 수 있는 게 아닌데
강요한다고 뭐가 달라지겠어요.
그렇잖아요. 걱정으로 할 수 있는 건
위로와 격려 그리고 적당한 충고가 전부지,
그런 식의 다 안다는 듯한 깎아내림이 아니라.

보고 싶다

좋아한다, 사랑한다, 보고 싶다는 말 중
가장 최고치의 마음을 표현하는 말은
'보고 싶다'인 것 같다고 말했다.

앞의 두 문장이 모두 합쳐진다고 해도
보고 싶고 그리워 사무치는 가슴을
이겨낼 수 있는 문장은 없을 것이므로.

절실함이 닿는다면

시간이 지날수록 무조건적으로
내 편이 되어줄 수 있는 존재 하나가
더욱 절실해진다.

내가 잘못을 했다면 그 사실에 대해서
확실하게 짚어주고 그것을 고쳐나갈 것을
권유하면서도 나는 네가 조금 더 나은 사람이
될 것임을 믿는다고 말하며 내 손을 더 꽉
잡아주는 사람.

그 믿음에 내가 더 좋은 사람이 되고 싶게 하는 사람.

무너져 있는 마음을 지탱해주다 나와 같이
넘어지기보다는 그 마음 옆에서
내가 괜찮아질 때까지 기다려준다는 사람.

그대의 옆자리가 늘 내 것임을
불안함 없이 인지시켜주는 사람.
일평생을 바쳐 사랑하고 싶은 사람.

너도
나만큼

네가 생각이 많아 네 안에 물을 채우고
또 채워대는 동안,
애써 네 안에 살고자 했던 나는
끝내 그곳에서 나오고 싶지 않아서
숨을 꾹 참고는 '곧 괜찮아질 거야.' 하며
내 자신을 다독였다.

잠깐은 괜찮은 것 같았는데,
너도 이러다 말겠지 싶었는데,
내가 이곳에 있다는 사실을 어떻게든 알리면
네가 나를 위해서라도 조금 괜찮은 척을

해주지 않을까 해서 그렇게 힘을 썼는데.

결국 아무 소용이 없었던 것 같다.
너에게는 나보다 중요한 것이 많으니까,
그렇게 버려야 할 것도 많으니까,
네 안에 가득 담긴 물에 흘려버려야 할 것들이
차고 넘치니까 내가 그곳에 있는 걸
눈치 챌 수가 없는 거겠지.
내가 그렇게 같이 흘러가버려도
신경 써줄 수가 없는 거겠지.
너도 나만큼이나 힘드니까.
그런 사람이니까.

신경의
중심

가끔은 정말 그 무엇도 신경 쓰이지 않았던 때로
돌아가고 싶으면서도
내 신경의 중심이 너라는 사실에
쉽게 돌아설 수 없을 때가 많다.

그렇게 아프고도 정신을 못 차리냐고
매번 타박을 하는 사람들 앞에서
그래도 아직 사랑하는데 어쩌냐면서
'아직은, 아직은.' 하고 네 곁에 남아 있는 시간을
하루 이틀 연장한다.

이러고도 언젠가는 끝이 나버릴 이야기라지만

그래도 하루 지나, 한 달 지나 그 오랜 시간

여전히 당신이 나의 사랑이라면,

나 어쩌면 이번 생은

내내 당신 곁에 머무를 수 있을까 하여

그 헛된 욕심에 내 한숨 끝자락이라도

걸어볼 수 있을까 해서.

가끔은
모르는 게 약

아무 생각 없이 가만히 하루를 보내다가도
이유조차 모른 채 때때로 우울해진다.
웃을 일이 줄어들었고, 울어야 할 일에도
쉽게 눈물 흘리지 못하는 날들이 지속되고 있다.

무엇이 나를 이렇게까지 만드는지 잘 모르겠다.
어쩌면 모른 척하고 싶은 걸 수도 있겠지만
내 마음이 그걸 애써 무시하고 있는 거라면
끝까지 모르는 채로 넘어가는 것이 낫겠다.

나는 감정 소모가 심해질 때마다 모든 것을

다 내려놓고 새로 시작해오던 사람이었는데,
지금은 그 어떤 것도 쉬이 내려놓을 수 없어
오히려 마음이 무거워지는 것 같다.

잃을 것이 많은 사람은 언제나 약자인 법이다.
나를 잃는 일에 있어서만은 네가 늘 약자이기를.
익숙함이 우리 관계의 소중함을 앗아가지 않기를.
과거는 그저 과거인 것으로 지나쳐 가기를.
나만은 늘 너의 현재에서 진행되기를.

사랑 앞에 굳건한

여전히 너에 대해 모르는 것이 너무도 많고,
그 복잡한 마음속에 무슨 생각이 담겨 있는지
나로서는 짐작조차 할 수 없다.

네가 나에게 반쪽의 모습만 보여주고 있다고 해도,
그 어느 순간 나머지 반쪽이 모습을 드러내고
그것이 내가 알던 너와는 너무 다른 모습이라고 해도,
나는 여전히 너를 사랑하고
매 순간 네 곁을 지키고 싶다.

나 역시 사람인지라 알고 싶은 것이 많은 만큼

알고 싶지 않은 것도 많고, 너무도 사소한 것들을
의심하며 네 마음에 대한 확신을 갖겠다고
지친 너를 흔들어 댈 때도 있을 것이다.

네가 나에게 영원을 허락한다면,
나는 너의 곁에서 평생 제자리걸음밖에
하지 못하는 바보가 되어도 좋다.

지나간 사랑에 흔들리지 마라.
네 굳건한 사랑이 이곳에 있으니.

자존감의 의미

남을 깎아내리면서 되찾는 자존감은
자존감이 아니라 그저 열등감이다.

내가 남보다 우위에 서 있다고 느끼는 알량한 감정을
내 자신을 세우는 근본인 자존감으로 포장하지 마라.
내가 온전한 나일 수 있을 때,
나의 뿌리에도 의미가 생기는 것이다.

감정
쓰레기통

연애할 때 가장 조심해야 할 점은
내 기분에 따라 상대방을 대하는
태도가 변해서는 안 된다는 것이다.

연인이라는 관계는 머리보다
마음이 더 가까운 사이이기 때문에
상대방이 조금의 변화만 보여도 민감해지기 마련이다.

적어도 사랑을 하고 있다면,
내 연인의 기분이 좋아 보이지 않는 것에
아무렇지 않다는 반응을 보일 사람은 없다.

그 사람은 생각할 것이다.

'왜 그럴까, 무슨 일이 있을까, 혹시 나 때문인가?'

제대로 된 답을 내어놓지 않고

그저 "괜찮아." 하고 말한다고 해서 모든 것이 원점으로

돌아오는 것은 아니다.

차라리 솔직하게 말하고

상대방에게 이해를 구하는 편이 낫다.

나 혼자 해도 될 감정 소비를

내가 사랑하는 사람한테까지

시킬 필요는 없는 거니까.

당신은 내가 사랑하는 사람이지,

내 감정의 기복을

전부 다 받아줘야 할 감정 쓰레기통이 아니니까.

나의 우주

당신을 나의 우주라고 칭했다.
그 드넓은 우주에 나 혼자만이
존재할 것이라는
바보 같은 생각을 한 채.

그 우주 사이 내가 아닌 누군가
숨을 쉬고 있을 가능성이
그렇게나 허다한데
겁도 없이.

별똥별

'모든 게 마음 같을 수는 없겠지.'

어딘지 모르게 비뚤어진 길을 내달리는 기분이다.

그냥 마음을 그렇게 먹지 않으면 되는 건데,

그럼 애초에 기대 같은 걸 안 해서

편해질 수 있을 텐데.

나 혼자 괜한 짓을 해놓고는 대체 누구 탓을 하자고

매번 그렇게 제자리만 맴도는 건지.

결국 이렇다면, 이럴 수밖에 없는 거라면

저 밤하늘을 수놓는 별똥별에 수없이 소원을

빌어봐야 아무 소용도 없을 것이다.

기껏해야 밤새 비는 것이 네 이름 석 자일 것이니.

운명 같은
사랑

행복한 날들보다 슬픈 날이 많은 것도,
길 가다 우연히 지나친 꽃 한 송이의 꽃말이
당신의 이름은 아니었을까 생각하는 것도,
그래서 그날부터 길을 걸을 때마다 눈으로
그 꽃을 찾아 헤매는 것도,
그러다 그것이 어떤 모양이었는지조차
기억이 나지 않는 것도,
그 희미해진 기억 사이에서도 그게 그렇게나
소중하게 느껴지는 것도,
그렇게 내 모든 순간이 당신이었다는 사실까지
전부 다 사랑이었으면, 결국 어쩔 수 없는 운명이었으면.

내가 미운
이유

차라리 아무 말도 하지 않는 편이 낫지,

말뿐인 건 싫다.

'그 말을 뱉을 때 그 순간이나마 진심이었으면.'

하고 바라게 되는 것도 싫고.

松原医院
松原医院

보통 사람

내게 조금만 더 신경을 써달라는 말을
차마 내 입으로 꺼내지는 못하겠다.

네가 얼마나 힘이 들지 알고 있다.
내 욕심으로 그런 네게 또 하나의 짐을
지워주고 싶지는 않다.

그렇지만 나도 어쩔 수 없는 사람인가 보다.
그 누구보다 사랑하는 사람이 내게 주는
애정이 절실하고, 그 사람의 말 한마디가
다른 어떤 것보다 중요한 그런 보통 사람.

그러나 네가 내 세상의 중심이라 자신 있게
말했던 나는 내가 흔들리면 이 안에 있는
너도 같이 흔들릴까 두려워 그 마음 한쪽
표현하는 것도 힘이 든다.

말하지 않으면 전부 모르는 일이라지만,
차라리 네가 전부 모르는 편이 나을 수도 있는 거니까.

나는 여전히 네가 필요하다.
늘 그래왔던 것처럼,
너에게도 내가 늘 그런 존재였으면 좋겠다.

입장 차이

네가 빠르다고 해서 내가 늦은 게 아니야.

사람마다 준비하는 기간에 차이가 있을 뿐이야.

네가 노력을 하지 않았다는 말은 아니야.

그렇지만 네가 나보다 빨랐다는 게

내가 너보다 못하다는 말이 될 수는 없어.

나는 내 나름대로 살아가고 있어.

너와 다를 뿐이야.

그러니 그런 표정으로 나를 깎아내리지 말아.

그 말들이 언젠가 네게 돌아간다면

그때는 너도 내 마음을 알게 되지 않을까.

CITY CIRCLE
35
YOUR TRAMS
YARRA TRAMS
YOUR TRAMS
MELBOURNE
INTERNATIONAL
FILM FESTIVAL
1000
City Circle

내가 당신을 놓지 못함은

그래요. 조금도 괜찮지가 않아요. 자꾸만 주변에서 그렇게들 묻는데 빈말이나마 그렇다고 할 수가 없더라고요. 그 사람들도 그럴 거라고 생각하고 물은 건 아닐 거예요. 누가 봐도 안 괜찮은 것 같은 얼굴을 하고 있거든요. 나, 이런다고 당신 마음에 조금의 동요라도 가져올 수 있을까요. 사실 내 안부는 당신에게 그렇게 중요한 것이 아닐 거예요. 당신에게는 내일의 날씨라든지, 미세 먼지의 농도 같은 게 더 중요할 수도 있겠어요. 그게 당신의 하루에 조금 더 맞닿아 있는 것들이니까요. 눈이 오고 비가 오면 당신은 우울해할 테고, 황사라도 심한 날이면 목이 아파 눈물짓겠죠. 내가 어디서 울고

있거나 당신 때문에 어딘가 많이 아파져서 한평생을 내내 앓고 있다고 해도 당신에게는 그다지 큰일이 아닐 거예요. 아니, 어쩌면 정말 조금도 눈치 채지 못할지도. 원망할 생각은 없어요. 당신이 내게 이 마음을 강요한 적이 없다는 건 내가 더 잘 알아요. 오히려 상처 받는다고 미리 경고도 했었죠. 그렇게 쉽게 열릴 마음이 아니라면서 떠나라고도 했었죠. 근데 어쩌자고 난 그 말이 당신이 내게 옆에 있어달라고 애원하는 말처럼 들렸을까요. 듣고 싶은 대로 듣는다더니 정말 그런가 봐요. 당신에게 물으면 절대 그런 게 아니라고 하겠죠. 나도 그게 아니었으면 좋겠어요. 당신이 슬퍼하는 건 나도 싫으니까. 사랑한다는 말은 안 해요. 대신 보고 싶다는 말만 남기고 갈게요. 당신이 나를 사랑하지는 않아도 어쩌면 조금은 보고 싶어 할 수도 있으니까. 저 멀리서 당신을 사랑하는 소행성 하나가 당신이란 우주 속을 표류하고 있다면 그 행성에는 그래도 이름을 붙여주고 싶겠죠. 사랑이란 게 그런 거니까요. 애닳지 않아도 그냥 지나치기에는 아쉬운 법이니까. 그래서 포기를 못해요. 언젠가 당신이 내 이름 한번 불러줄까 봐. 그렇게 고생했다고 안아줄까 봐. 기적처럼 사랑이란 단어를 입에 담아줄까 봐. 그래서 당신을 포기 못하겠어요, 나.

행복의
이유

행복하자고, 그러지 못할 이유가
어디에도 없다는 말을 들었다.

너를 잃은 내가
행복할 수 있다는 것이 그 말보다도
더 우스웠다.

내 행복의 전부였던 너는
지금 어디에도 없다.
그러니 적어도 내게만은 행복하지 못할
이유가 충분해진 것이 아닌가.

당신의
안식처

잘하고 있어.
그렇게 불안해하지 않아도 돼.
잘하고 있어, 정말.

쉴 틈 없이 달리다가도
숨 고를 시간은 언제나 필요한 법이야.
그러니 잠시 쉬고 있는 걸 겁내지 마.
괜찮아. 내가 당신의 쉴 곳이 될게.

C.MAIMONE – TAILOR
WINDSOR SALON
Men's Hairdresser
THE PAPERBACK

우리가 잊지 말아야 할 것들

난 내가 지칠까 봐 걱정 돼.

그리고 이런 나만큼이나 너도 지쳐버릴까 봐 걱정 돼.

그 감정에 속아서 혹여 우리가

사랑이 아니라고 착각하게 될까 봐 걱정 돼.

어떤 순간에도 우리가 서로가 사랑임을

확신할 수 있을까.

네가 내 사람이라는 사실을 잊지 않을 수 있을까.

적어도
내게만은

아무 생각 없이 한 말이라고 말하면
그게 나한테도
아무것도 아닌 말이 되던가요.
별 생각 없이 한 일이라고 말하면
그게 나한테도
별일 아닌 게 되는 거냐고요.

그게 무슨 말이에요.
나한테는 당신이 이렇게나 큰데.

THE IMPERIAL

나의
모든 부분

내가 원하는 삶은
내 인생의 모든 부분에 네가 있는 것이다.
너를 만나지 못했던 나의 지난 시간들을
너를 만난 이후 전부 보상받기라도 하듯이
네가 떠날 것이라는 불안 하나 없이,
매번 싸우더라도, 가끔 지치더라도
결국 나는 너이고, 너는 나임을 인지하고 사는 것이다.
다른 사람들이 어떤 말을 해도
내가 너의 있는 그대로를
사랑할 수 있는 사람이었으면 한다.
이번 생은 너를 알아가고 이해하는 일에 쓰고 싶다.

BREAD

당신이어라

우리 사이는 늘 소란스럽다.

'이게 사랑일까, 혹은 사랑이 아닐까.' 하는

의미 없는 전쟁으로

언젠가 내 마음이 닳아 없어지더라도

나는 결국은 네가 내 사랑임을 믿는다.

이토록 많은 질문들의 답은

꽤 오랜 시간을 돌아오게 되어도,

그것이 거짓이라 우기는 사람들의 꼬임에

몇 번이고 흔들리게 되어도

그 답은 꼭, 당신이어라. 그래야만 한다.

끝내
모른 척

알고 싶지 않은 것들은

그냥 평생 모르는 채로 지나갈 수 있었으면 좋겠다.

네가 내게 말해왔던 그 모든 것들이

조금의 거짓도 없는 진실이었다고 믿고 싶다.

나는 아무렇지 않은 척할 것이다.

알아도 모른 척할 것이고,

내가 전부 알고 있었다는 사실을 네가 언젠가

알게 된다고 하더라도

조금도 상처 받지 않은 것처럼 행동할 것이다.

지금 네 사랑이 나를 향하고 있음을 알고 있다.

나는 그것이면 되었다.

좋아해

나 당신을 좋아해. 그걸 깨달은 순간부터 좋아한다는 단어가 어떤 뜻인지에 대해서는 생각하지 않기로 했어. 생각이 많아지면 자꾸만 바닥으로만 치닫는다기에. 나는 너에 대한 나의 감정을 깊숙한 곳에 담아두고 필요할 때만 꺼내어 보고 싶지는 않았거든. 매일같이 보듬어주고 싶었어. 세상에 치여 지쳐버린 네가 내게 닿으면 적어도 내 곁에서만큼은 아무런 걱정도 없이 편히 잠들 수 있었으면 했어. 네 등을 조심스레 토닥이는 내 품 안에서, 조금은 불안한 숨을 내쉬던 네가 어느새 편안한 숨을 조용조용 내뱉으며 좋은 꿈을 꾸길. 그 꿈길 속 한 구석에서 네가 따뜻한 것만 보고 느낄 수 있도록 검은 빛들 사이 너를 지킬 수 있기를. 그렇게 매일같이 기도하던 내

기도문이 너의 자장가가 될 수 있기를 누구보다 염원했다. 당신을 아주 많이 좋아해. 다른 말이 하고 싶은 것은 아니야. 사실 바라는 것도 별로 없어. 당신이 내 곁에서 살아 숨 쉬는 것, 당신 인생의 전부가 아니더라도 어느 한쪽에라도 나를 숨 쉬게 하는 것 정도. 그래, 바라는 건 그것뿐이야. 모든 것에 이유가 필요한 법이라면 내가 너를 아주 많이, 아니, 이 광활한 우주 속에서 너라는 존재를 가장 좋아하는 이유는 말야. 내가 너와 함께하는 이 시간 속에 각인되었기 때문이야. 깊이 새겨진 시침과 분침 사이 나는 다른 곳으로 내달릴 힘을 잃었어. 그래서 결론은 당신이야. 이제 알겠어? 내 모든 것의 결론은 당신이라는 거. 내 모든 문장의 끝에는, 그 마지막에는 언제나 당신의 이름이 오게 될 거야. 내 사랑 고백의 대상은 물론이고.

3

사랑의 물음에 진심을 답하다

사랑이라는 게 어려운 건가요?

세상에 쉬운 일은 없는 것 같아요. 사람과 사람 사이의 관계와 감정 소비가 필요한 일이라면 더더욱이요. 사실 저는 사랑이 쉬워서는 안 된다고 생각해요. 오히려 어려워야 사람들이 그 감정을 존중하고 더 노력하지 않을까 싶어서요. 그래서 저는 사랑이라는 단어가 최대한 무겁고 중요한 것이었으면 좋겠어요. 그러니까 정리하자면 사랑이라는 관계의 시작 자체를 어렵다고 생각할 필요는 없지만, 사랑이라는 단어의 무게만큼은 어려운 것이었으면 한다는 겁니다.

언제쯤 고백하면 좋을까요?

'상대방이 나한테 얼마만큼의 확신이 생겼구나.' 싶을 때요. 그게 너무 느려서도, 빨라서도 안 되겠죠. 사랑의 시점을 맞춘다는 게 원래 어려운 거니까 너무 조바심만 내지 않으면 될 것 같아요. 상대방만큼이나 본인 마음에 대한 확신도 중요하고요. 이때다 싶은 상황이 생긴다면 주저 없이 말하세요. 아주 많이 좋아한다고.

너무 잘해줘서 부담스러웠대요. 그만큼 절 좋아하지 않았던 거겠죠? 너무 미워요. 그냥 이게 트라우마가 돼서 앞으로도 사랑 못 받으면 어떡하나 밤새 걱정해요. 걔가 잘 지내는 거 보면 화가 나고요. 어떡해야 할까요?

오히려 다행인지도 몰라요. 당신이 사랑한 사람은 당신을 그만큼 사랑해주지는 않았지만, 잘해주는 걸 당연하게 생각하고 당신을 이용하려는 사람은 아니었으니까. 세상에서 제일 나쁜 게 희망 고문이에요. '적당한 타이밍에 끊어준 게 배려였구나.' 싶은 시점이 올지도 몰라요. 지금 당장은 힘든 게 당연하고 '다시는 사랑받지 못하면 어쩌나.' 싶은 것도 당연한 거지만, 본인 자존감 깎아 먹지 말고 아낌없이 주는 사랑에 감사할 줄 아는 사람을 찾으세요. 지나간 사랑에 아파하기에는 당신 마음속에 남아 있는 감정들이 너무 아까워요.

첫사랑은 정말 이루어질 수 없는 걸까요?

사랑은 이루어지고, 이루어지지 않고가 문제가 아니라 내 마음이 어떠냐가 더 중요한 것 같아요. 만약 내가 첫사랑이라고 생각하는 그 사람이 나를 사랑하지 않아서 내가 아프게 된다고 해도 그게 그렇게 대수인가요. 나에겐 그 사람이 변함없이 소중할 텐데. 결과가 좋지 않더라도 그 과정 속에 내가 조금이라도 가치를 둘 만한 것이 있었다면 저는 그것으로 되었다고 생각해요. 정말 내가 진심이라면 언젠가 그 사람에게도 전해질 날이 있겠죠. 사랑이 이루어짐은 언제나 기적이니까.

혼자 하는 연애에 대해 충고해 주신다면?(ex. 짝사랑)

누구나 한 번쯤은 해보겠죠. 짝사랑. 저는 그런 경험이 있는 사람이 다른 사람보다 사랑을 더 잘할 수 있다고 생각해요. 얼마나 힘들어요. 그 사람은 내가 좋아하는지도 모르는데 혼자 마음 졸이는 게. 그래도 할 때까지 해보세요. 마음껏 좋아도 해보고, 그 사람과의 미래도 꿈꿔보고, 그렇게 짝사랑과 짝사랑이 만나서 연인이라는 관계로 묶이는 기적도 경험해보고. 혹여 끝까지 이 감정이 혼자로 남더라도 누군가는 또 다시 당신을 사랑할 것임을 잊지 마세요. 당신이 그 사람을 남몰래 마음에 품었던 것처럼 당신도 모르는 사이 사랑받고 있을지도 모르니까. 너무 걱정하지 말고 마음 편하게 지내자는 거예요. 그냥, 마음이 흘러가는 대로 사랑하자고요.

좋은 연애는 뭘까요? 좋은 연애의 의미를 아무리 생각해도 알 수 없어요.

좋은 연애는 각자의 영역을 존중해주는 거라고 생각해요. 아무리 가까운 거리에 있더라도 상대방의 고유의 영역이 있다는 것을 존중해주는 거. 가끔 그 사람이 그 공간 안에 들어가서 혼자만의 시간을 가지고 싶어 한다면 문 앞에서 "나 여기 있어. 그러니까 괜찮아." 하고 말해줄 수 있는 거. 필요할 때마다 주저 없이 손 잡아줄 수 있는 거. 간혹 둘 사이에 정적이 찾아오더라도 그 시간마저 사랑임을 의심하지 않게 하는 거. 그런 게 아닐까요?

아직도 모르겠어요. 먼저 연락을 하면 정말 빠른 답장이 와서 언제나 그 답장이 기다려지는데, 그렇다고 자주 연락이 오는 것도 아니에요. '마음을 닫아야지.' 하면 또 말을 걸어오는 그 사람 때문에 헷갈려요. 시도 때도 없이 장난을 걸어오는 그 사람이 정말 좋은데 헷갈리는 마음뿐이네요.

그냥 솔직하게 말해보는 건 어때요? 그 사람도 똑같이 생각하고 있을 수도 있잖아요. 혹여 아니라고 해도 지금처럼 상대방 마음을 몰라서 마음 졸일 일은 없겠죠. "나는 너한테 연락 오는 게 참 좋은데 너는 어때?"라든가, 대놓고 좋아한다는 고백이 아니어도 호감을 표현할 수 있는 방법은 충분히 많으니까요. 아직 시작하지 않은 관계에서 확신까지 바라는 건 어쩌면 사치인지도 모르니까. 좋아하면 먼저 용기내서 시작해보세요. 확률은 반반인데 손해볼 거 없잖아요.

헤어지게 된 지 얼마 지나지도 않았는데 이미 그 사람 곁에는 새로운 인연이 생겼어요. 어떻게 그럴 수가 있죠? 저를 정말 사랑하긴 했던 걸까요?

헤어진 지 얼마 지나지 않은 사람이 다른 사람을 사랑하게 되었다는 걸 인정하기 싫은 건 당연해요. 그 사람도 예의가 없었던 게 맞고요. 개인적으로 저는 한 달 정도는 쉬는 기간이 있어야 한다고 생각하지만, 괜찮은 사람이 한 달 안에 나타난다면 그 사람이라고 어떤 방법이 있었을까요. 지나간 인연에 괜한 감정 소비하지 마세요. 사랑했던 순간은 그냥 그 자체에 의미를 두고, 나는 나대로 새로 시작하는 게 좋아요.

언젠가는 헤어지는데, 언젠가는 이 순간들을 후회할지도 모르는데, 모두에게 비밀로 하면서까지 이 연애를 하는 의미가 있는 걸까요?

연애에 의미를 만드는 건 두 사람이죠. 다른 사람에게 자랑하고 싶고, "우리 사랑하고 있어요." 하고 티내고 싶은 마음은 알겠지만 비밀이라고 해도 두 사람의 마음만 진실이라면 저는 문제없다고 생각해요. 사실 반대로 생각하면 언젠가는 헤어지고, 언젠가는 이 순간들을 후회할지도 모르는데.다른 사람들 다 알게 연애하는 게 오히려 더 문제일지도 몰라요. 사랑은 사랑 그 자체로만 생각하세요. 오히려 사소한 것에 커다란 의미가 생길지도 몰라요.

왜 항상 헤어짐이라는 말에 모든 걸 정리하려는 걸까요?

그러게요. 헤어짐이라는 말에 많은 것들은 정리되지 못하고 남아 있는데 나와 그 사람만 달라진다는 게 사실 웃기죠. 하지만 헤어짐이 정말 끝을 말하는 거라면 모든 걸 정리하지 않는 게 더 바보 같은 거 아닐까요. 그 사람과의 추억에 갇혀 평생을 사느니 전부 정리하고 새 시작을 하는 게 현명하다고 생각해요. 추억은 추억 나름대로의 힘을 가지게 되겠지만 그게 현재까지 계속 이어지면 안 되죠. 헤어짐이라는 말 앞에 모든 걸 정리하게 되는 건 어쩌면 내가 살기 위해서예요. 정말 단호해서도 아니고, 정말 아무렇지 않아서도 아니고, 그냥 당신 없이도 나는 살아야 하니까.

연애하는 이유가 뭘까요?

글쎄요. 여러 가지 이유가 있겠지만 저는 연애를 통해 상대방뿐만 아니라 자기 자신도 더 성장해나갈 수 있다고 생각해요. 마음의 거리가 가장 가까운 사람과 사랑하고, 싸우고, 울고, 많은 것들을 함께해가면서 이런 부분은 내가 고칠 필요가 있다는 것을 느끼고 그것을 조금씩 개선해나가는 거죠. 정말 힘든 연애를 했더라도 그게 나중에는 전부 인생의 교훈처럼 느껴질 때도 있을 거예요. 물론 당장은 힘들겠지만. 그럼에도 연애를 하는 가장 근본적인 이유는 아마 이거겠죠. 사랑. 그 단어만큼 이 모든 것들을 잘 표현할 수 있는 말이 있을까요?

보고 싶은 사람을 다시는 못 볼 때는 어떻게 해야 하나요?

본인이 할 수 있는 최선의 노력은 해보아야겠죠. 연락을 해본다거나, 그 사람이 갈 만한 곳에 찾아가본다거나. 하지만 대부분 이런 질문을 하는 사람은 그걸 실행할 만한 용기가 없거나, 염치가 없거나 둘 중에 하나겠죠. 하지만 가만히 있는다고 달라지는 건 없을 것 같아요. 정 염치가 없고 그 사람이 내가 보고 싶어 하는 걸 바라지 않을 것 같다고 생각한다면 놓아주어야겠죠. 그 사람을 위해서라도. 하지만 그게 아니라면 말하세요. 나 당신이 참 많이 보고 싶다고.

헤어지고 다시 만나는 연인들에 대해 긍정적인 의견과 부정적인 의견, 그리고 개인적으로 조언해주고 싶은 방향에 대해 궁금해요.

헤어지고도 다시 만난다는 건 아직 서로에 대한 마음이 남아 있다는 거니까 그 마음이 전부 소멸될 때까지 상대방을 사랑해야 할 의무가 있다고 생각해요. 그리고 한 번 만났던 사람을 다시 만난다는 게 다른 사람을 만나는 것보다 편안하고 익숙할 수 있겠죠. 다만 누가 보아도 내 감정 소모가 더 심하고, 상대방은 나를 위해주지 않는데 나만 맞춰주고 있을 때. 그런데도 내가 너무 사랑해서 그 사람을 붙잡고 또 붙잡아서 그 사람 껍데기만 쥐고 있을 때. 그런 만남은 굳이 지속하지 않았으면 좋겠어요. 내가 불쌍하잖아요. 충분히 사랑받을 만한 사람인데. 어떤 식이든 본인의 행복을 위한 연애를 하세요. 물론 상대방에 대한 존중을 전제로 한.

언제쯤 진짜로 제가 먼저 좋아하는 사람이 생길까요?

사실 저는 되레 묻고 싶어요. 사람을 먼저 좋아해야만 하는 법이 있나요? 상대방이 나를 사랑해서 그 사람이 서서히 좋아지는 것도 충분히 사랑에 포함되어 있는데, 내 마음이 먼저 특정한 대상에 향하지 않는다고 조바심을 낼 필요는 없어요. 물론 첫눈에 사랑에 빠진다거나 하는 낭만적인 것들은 누구나 꿈꾸는 것이지만, 그때가 정해져 있을 리는 없죠. 그냥 정말 갑자기 어느 순간에 나도 모르는 사이에 내 존재를 전부 집어삼켜버리는 게 사랑이니까.

큰 걸 바라지 않겠다 다짐해놓고 더 많은 걸 원하게 돼요.

더 많은 걸 원하게 되는 게 왜 잘못일까요? 그걸 상대방에게 요구를 하고 그 문제로 자꾸만 그 사람을 힘들게 만든다면 잘못이 될 수 있겠지만요. 기대가 커진다는 건 내 마음에 그 사람의 구역이 커졌다는 거예요. '내가 이만큼 해주었으니까 이만큼 받아야 해.'라는 마음일 수도 있겠지만, 사실 그것도 내가 해줬는데 받고 싶어 하는 게 뭐 어때서요. 괜찮아요. 그냥 그 기대가 자꾸만 자신을 갉아먹지만 않게 하세요. 속상해하지 않았으면 좋겠어요.

항상 한쪽에 남아 있는 사람이 있는 것 같아요. 다른 사람을 만나도 100% 집중할 수 없게 하는.

첫사랑 같은 거죠. 다른 모든 사랑의 기준이 되는 그런 거. 무슨 마음인지도 알고, 이러지 말아야지 한다고 바로 바뀌는 게 아니라는 것도 알아요. 사실 시간이 지나고 그보다 큰 영역을 차지하는 사람이 찾아오면 그 자리는 충분히 가려질 수 있어요. 하늘에 달은 항상 떠 있는데 해가 뜨면 그 모습이 보이지 않는 것처럼, 우리가 할 수 있는 건 그때를 기다리는 것뿐이겠죠.

연애할 때 나이는 숫자에 불과하다고 하는데 맞을까요?

저는 나이대가 비슷한 사람들의 연애를 지향하는 입장이기는 하지만, 사랑에 있어 나이가 중요한 건 아닌 것 같아요. 제가 또래의 연애를 지향하는 건 '그 나이대에 할 만한 것들을 이미 겪은 사람이 아니라 나와 똑같이 처음 겪는 사람과 그 시작을 함께하면 좋겠다.'라는 마음에서 시작된 것뿐이고요. 하지만 사랑에 대한 가치관이 제대로 성립되지 않은 상태에서 무작정 나이 차이가 많이 나는 사람을 만나는 건 좀 문제일 수 있겠네요.

책임감이 사랑과 연애에 어느 정도 연관되어 있다고 생각하나요?

꽤 많은 부분이요. 그런 말 있잖아요. 연애는 여가 생활이 아니라고. 저는 상대방에게 충분한 감정과 시간을 소비하지 않는다면 그건 건강한 연애라고 할 수 없다는 입장이에요. 물론 본인들이 하는 일과 개인적인 시간을 소중히 하지 말라는 것은 아니고요. 그냥 바쁠 때 말고 그 외의 시간에라도 그 사람을 한번 더 들여다보는 게 어쩌면 책임감이라는 말과 맞물려 있는 게 아닐까 해서요. 사랑한다면 당연하게 나와야 할 행동인 것 같지만 혹시 그렇게 생각하지 않는 사람이라면 본인이 책임감을 가지고서라도 어느 정도는 신경을 써야 하는 것 같아요. 그게 상대방에 대한 존중이고요.

몇 번을 만나고 헤어지고 했는데 미련이 남아요. 잡아야 하나요?

해볼 때까지 해보세요. 정말 안 좋은 결말이 예정되어 있더라도 또 한번 그 게임에 달려들고 싶다면 주변에서 아무리 말려도 그 마음은 안 바뀌어요. 자기 마음은 자기 자신만 잡아줄 수 있는 거니까. 그게 내 현재의 최선이다 싶으면 그렇게 하세요. 미래에 어떤 일이 생긴다면 미래에 맞는 최선을 찾으면 되는 거니까. 다만 한 가지는 생각하세요. 내가 가지고 있는 미련이 처음 그 사람을 만났을 때 행복했던 나에 대한 것인지, 그 사람에 대한 것인지. 나에 대한 거라면 시간이 흐른 후 또 다른 사람을 사랑하면서 행복을 찾는 것이 더 나을 거거든요. 이미 색이 바란 건 닦아놓아도 처음과 똑같아질 수는 없으니까.

연애를 전제로 상대방을 알아갈 때 제일 중요한 3가지가 있다면 무엇인가요?

1. 이 사람이 나와 비슷한 가치관을 가지고 있는가. 또는 가치관이 같지 않더라도 그것을 존중해줄 수 있는 사람인가.(다름과 틀림의 차이를 아는 사람인가.)

2. 함께 있을 때 내 자신에 대해 솔직해질 수 있는 사람인가.

3. 본인 인생의 우선순위 중 세 손가락 안에 사랑을 꼽을 수 있는 사람인가.

사랑에 타이밍이란 없는 것 같아요. 모든 일에, 모든 것에 그럴 만한 타이밍이란 없어요. 그저 그럴 운명이었던 거예요. 무언가를 느끼고 "타이밍 잘 맞췄다." 호탕하게 말하는 순간까지도 그렇게 될 운명이었던 거예요.

저도 운명을 믿지만 모든 것이 그렇게 정해져 있는 것이라고 생각하지는 않아요. 내 스스로 무언가를 바꿀 수 없다면 조금 억울할 것 같아서요. 사랑에 타이밍이라는 건 사실 용기에 달린 거잖아요. 내가 좋아하는 사람에게 좋아한다고 말을 할 수 있는 용기. 그렇게 눈 꾹 감고 용기 낼 수 있는 상황까지 운명으로 정해져 있는 것 같지는 않아요. 인연과 운명이라는 건 그냥 그 사람을 만나게 한 순간 딱 거기까지고, 나머지는 내게 달린거죠. 그런 의미에서 저는 타이밍이라는 건 있는 것 같아요. 정해진 각본대로 살고 싶지 않아요.

순수하게 그 사람을 좋아한다는 건 뭘까요?

순수하게 좋아한다는 건 연인 관계나 어떤 관계로 맺어진 상태에서는 조금 어려울 수 있고, 그냥 그 사람 자체를 좋아할 때 가장 잘 성립될 수 있는 것 같아요. 예를 들면 '나는 너를 좋아해. 네가 어떤 모습을 하고 있어도 상관없어. 나한테 말 걸어주지 않아도 괜찮고, 나와 어떤 무언가로 엮이지 않아도 괜찮아. 그냥 나는 네가 어디에서나 사랑받는 사람이었으면 좋겠어. 왜냐하면 내가 너를 좋아하니까.' 하는 생각이 들 때. 근데 이건 좋아한다는 감정이 사랑까지는 도달하지 않았기 때문에 가능한 게 아닐까요. 순수하게 사랑한다는 건 쉽지 않죠. 어떻게든 그 사람이 갖고 싶을 테니까.

짝사랑을 하는데 타이밍과 자존감이 도와주질 않아요.

타이밍은 어떻게 할 수 없는 건데, 자존감은 본인이 노력하면 완전하게는 아니어도 조금은 달라질 수 있는 부분이에요. 자기 자신을 위해 시간을 써보세요. 어디 혼자 여행을 가본다거나 배우고 싶었던 거를 배워본다거나. 운동도 하고, 친구들도 많이 만나고요. 밤마다 굉장히 사소한 것들에 대한 감사들을 일기장에 적어보세요. 예를 들면 '오늘은 날씨가 좋아서 너무 감사했다.' 이런 것들이요. 내 자신을 사랑하는 사람에게 좋은 기운이 드는 거라고 해요. 타이밍은 어쩌면 그때 보너스처럼 생길지도 모르겠어요. 힘을 내보아요! 충분히 멋진 사람이니까.

언제 헤어져야 하는 걸까요. 이게 헤어져야 하는 상황인지 아닌지 잘 모를 땐 어떻게 해야 하나요?

헤어져야 할 타이밍이 정해져 있는 건 아니지만, 이런 생각을 하고 있는 지금부터 이미 이별은 시작된 것일지도 모르겠어요. '마냥 행복한 연애라는 것은 없다지만 매일 헤어짐을 고민하는 연애가 정말 연애일까.' 하는 고민 때문에 가까이에 있는 행복도 놓치고 있는 것은 아닌지. '이 사람과 헤어지는 게 힘들까, 헤어지지 않는 게 힘들까.' 고민해보고, 조금 이기적이더라도 본인 마음이 향하는 대로 하세요. 상대방을 위해 나를 버려둘 필요는 없어요.

연애를 안 할 때는 연애를 하고 싶은데, 막상 하면 연애보다 중요한 것에 신경을 더 많이 쓰게 되는 것 같아요.

본인과 똑같은 사람을 만나는 게 가장 편하겠지만 그게 쉽지는 않겠죠. 사실 어떤 연애는 일에 집중하면서 둘이 시간이 맞을 때만 만나고도 행복하게 지속되기도 해요. 하지만 두 사람의 사랑 방식이 다르다면 한쪽만 힘들어지는 건데, 그렇게 본인 편한 대로만 하고 살 수는 없겠죠. 어떻게 보면 그게 참 이기적인 거지만 그래도 외롭다는 감정은 어쩔 수가 없거든요. 사람의 본능 같은 거라. 그냥 아직 연애를 하는 방법을 잘 모른다거나, 그게 아니라면 적합한 타이밍이 오지 않았기 때문이라고 생각해요. 꼭 연애가 모든 것의 우위에 있어야 한다는 것은 아니지만, 정말 모든 것을 잊을 만큼 중요해지는 시기가 올 수도 있는 거니까.

사랑 없는 삶은 결국엔 불행일까요?

사람마다 다른 게 아닐까 싶어요. 누군가는 사랑 때문에 불행해질 수도 있는 거니까. 하지만 사랑 때문에 불행해진 사람도 또다시 사랑 때문에 행복해질 수 있어요. 그건 아무도 모르는 거죠. 사랑이라는 감정이 꼭 연인과의 관계를 뜻하는 건 아니잖아요. 세상 어떤 것들도 마음으로 감싸 안을 수 있는 건데, 그 모든 애틋함을 잃게 된다면 당연히 속이 허한 느낌이 들지 않을까요. 사실 사랑이라는 감정 자체를 모른다면 그다지 불행하지 않을 것도 같아요. 그 사람한테는 원래 그런 세상이었고, 다를 게 없으니까. 하지만 한 번이라도 그 감정을 경험해본 사람에게는 별수 없이 상실감이 큰 문제겠죠.

연애하고 있는 상대방을 좋아하지도 싫어하지도 않게 된 것 같아요. 어떻게 해야 할까요?

상대방에게 익숙해지면 흔히 일어나는 일이에요. 쉽게 말해 권태기라고들 하죠. 권태기를 극복하느냐, 극복하지 않느냐는 본인의 선택에 달렸어요. 사실 그 상황에서는 헤어지더라도 큰 감정 소비가 되지 않거든요. 감정적으로 메말라 있는 시기이기 때문에. 물론 후폭풍이 오면 그보다 배로 아플 수는 있겠지만 후폭풍도 모든 사람이 경험하는 건 아니니까요. 일단 시간을 가져보세요. 이 사람이 나한테 어떤 사람인지 본인 스스로도 다시 한 번 인지할 시간이 필요한 것 같아요. 그 사람이 내게 해주는 많은 것들을 너무 당연하게 생각한 것은 아닌지, 나는 얼마만큼 최선이었는지 등을 돌아보는 시간을 가지는 거죠. 결정은 그때 해도 늦지 않아요.

연애를 하면서 남자 친구가 여자 친구한테 하는 애정 표현이나 관심을 가지는 정도가 연애 초기보다 좀 소홀해지고 줄어드는 건 어쩔 수 없다고 생각하나요?

이게 꼭 남자가 변하는 문제라기보다 시간이 지나면서 한쪽이 변하는 걸 어쩔 수 없다고 생각하는 것에 대해 어떤 입장이냐는 질문이겠죠? 솔직히 한결같은 사람을 찾는 게 어려운 것 같아요. 익숙함에 속아 소중함을 잃는다는 게 너무 당연시되는 것 같기도 하고. 그건 어쩔 수 없는 게 아니라 자신이 변한 걸 인지했다면 조금이라도 노력을 해야 할 문제인 것 같아요. 어쩔 수 없다는 건 그냥 그대로 두겠다는 말 아닌가요? "나는 이만큼 변했고 이게 당연한 거니까, 어쩔 수 없는 거니까, 네가 이해해."라고 말하는 건 너무 무책임하죠. 정도의 차이는 있더라도 상대방에 대한 존중과 노력을 포기하는 건 아닌 것 같습니다.

연인과 함께했던 시간들 중 가장 행복했던 시간으로 돌아갈 수 있다면 어떤 순간으로 돌아가고 싶나요?

'내가 이 사람을 사랑하는구나.' 하고 깨달았던 순간이요. 조금도 특별하지 않았던 많은 것들이 전부 가슴 벅차게 다가오고, 이 세상이 나를 중심으로 돌아가고 있는 것 같은 황홀한 착각 속에 빠져 있던 그날의 공기 속에서 다시 한 번 그 사람과 사랑에 빠지고 싶네요.

행복한 연애의 기준을 뭐라고 생각하세요?

상대방에 대한 믿음이 얼마나 강하냐에 달린 것 같아요. 예를 들면 이 사람이 내가 없는 곳에서 무슨 말을 하고 어떤 행동을 해도 그것이 내 마음을 아프게 하지 않을 것이라는 확신을 가지는 거요. 불안하기만 한 연애는 끝내 행복해질 수 없을 것 같아서.

늘 짧은 연애만 해왔어요. 상대가 날 좋아하면 내가 금방 식고, 내가 상대를 너무 좋아하면 상대가 그렇지 않고요. 이번에는 정말 오래 사귀고 싶은데 어떻게 하면 될까요?

내가 좋아하는 사람은 나를 좋아하지 않고, 나를 좋아하는 사람에게는 내 마음이 가지 않고. 무슨 법칙처럼 흘러가는 상황이죠. 다들 한 번씩은 겪어봤을 거예요. 저도 마찬가지였고요. 그래서 누군가와 마음이 맞닿는 걸 기적이라고 표현하나 봐요. 오래 사귈 수 있는 어떤 방법이 있는 게 아니라 그런 사람을 만날 수 있는 타이밍이 있는 것 같고. 한번 기다려보세요. '너와도 언젠가 헤어지겠지.', '오래 만날 수 있을까.' 하는 걱정은 하지 말고, 시간이 흐르는 대로 그렇게 두어요.

다가오지도 않은 이별이 무서워서 정주는 게 두려워요.

세상에서 제일 바보 같은 게 아직 오지 않은 일을 걱정하는 거라고 하더라고요. 사랑을 하면 언젠가 이별이 찾아오는 건 당연해요. 그건 사람이 언젠가 죽게 된다는 거랑 다를 게 없죠. 하지만 모든 일은 현재가 가장 중요해요. 현재의 인생을 사세요. 지금 가장 행복하게 하는 일을 지금 나를 가장 사랑하는 사람과. 두려워할 필요 없어요. 언젠가 아파지더라도 그 순간 행복했던 기억만으로 충분히 살아낼 수 있을 테니까.

새벽 세시
단어 하나하나에 마음을 꾹꾹 눌러 담아
무거워진 문장들을 세상에 뱉어내는 일을 합니다.
마음속에 있는 말들을 도무지 꺼낼 수 없어
누군가 곁에 있어도 외롭기만 한 날엔
내가 당신의 일기장 같은 존재가 될 수 있기를 바라요.

디자인 · 사진 권으뜸
@eureumi

나에게 넌

초판 1쇄 발행 2018년 5월 2일
초판 2쇄 발행 2018년 5월 25일

지은이 새벽 세시

발행인 장상진
발행처 (주)경향비피
등록번호 제2012-000228호
등록일자 2012년 7월 2일

주소 서울시 영등포구 양평동 2가 37-1번지 동아프라임밸리 507-508호
전화 1644-5613 | **팩스** 02) 304-5613

ISBN 978-89-6952-241-2 04810
978-89-6952-242-9(SET)

· 값은 표지에 있습니다.
· 파본은 구입하신 서점에서 바꿔드립니다.